Chers amis rong_____
bienvenue dans le monde de

Geronimo Stilton

Texte de Geronimo Stilton
Illustrations de Matt Wolf
Maquette de Merenguita Gingermouse, Angela Simone, Benedetta Galante
Traduction de Titi Plumederat

Les noms, personnages et intrigues de Geronimo Stilton sont déposés. Geronimo Stilton est une marque commerciale, propriété exclusive des Éditions Piemme S.P.A. Tous droits réservés.
Le droit moral de l'auteur est inaliénable.

www.geronimostilton.com

Pour l'édition originale :
© 2000 Edizioni Piemme S.P.A. Via del Carmine, 5 – 15033 Casale Monferrato (AL) – Italie,
sous le titre *Il mistero dell' occhio di smeraldo*
Pour l'édition française :
© 2004 Albin Michel Jeunesse – 22, rue Huyghens – 75014 Paris – www.albin-michel.fr
Loi 49 956 du 16 juillet 1949 sur les publications destinées à la jeunesse
Dépôt légal : premier semestre 2004
N° d'édition : 15078/8
ISBN-13 : 978 2 226 14067 8
Imprimé en France par l'imprimerie CLERC s.a.s. à Saint-Amand-Montrond en juin 2009

Stilton est le nom d'un célèbre fromage anglais. C'est une marque déposée de Stilton Cheese Makers' Association. Pour plus d'information, vous pouvez consulter le site www.stiltoncheese.com

Geronimo Stilton

LE MYSTÈRE DE L'ŒIL D'ÉMERAUDE

ALBIN MICHEL JEUNESSE

GERONIMO STILTON
SOURIS INTELLECTUELLE,
DIRECTEUR DE *L'ÉCHO DU RONGEUR*

TÉA STILTON
SPORTIVE ET DYNAMIQUE,
ENVOYÉE SPÉCIALE DE *L'ÉCHO DU RONGEUR*

TRAQUENARD STILTON
INSUPPORTABLE ET FARCEUR,
COUSIN DE GERONIMO

BENJAMIN STILTON
TENDRE ET AFFECTUEUX,
NEVEU DE GERONIMO

Encore
en retard !

– Par mille mimolettes ! Déjà neuf heures !

Je roulai au bas de mon lit et, en un éclair, je m'habillai de pied en cap : ne me demandez pas comment j'ai fait !

– SCOUIIIT ! Je hais les lundis matins… glapis-je en me brossant les dents avec mon dentifrice au gruyère.

Je dévalai l'escalier quatre à quatre, mais mes pattes s'entravèrent dans ma queue et je dégringolai jusqu'à la porte d'entrée.

– Taxiii ! hurlai-je, en sautant dans un taxi d'un bond de félin. Conduisez-moi au 13, rue des Raviolis !

Taxiii !

Comme moi, Sourisia, capitale de l'île des Souris, avait des réveils difficiles.

Les camionnettes des laitiers zigzaguaient dans les rues pour livrer les fromages frais de la journée, pendant que souris, rats et rats d'égout se *faufilaient* dans la circulation sur leurs motos, bicyclettes et trottinettes.

Hop là ! J'étais arrivé !

Je bondis hors du taxi et **gravis les deux volées de marche** qui conduisaient à la salle de rédaction. Ah, c'est vrai, j'ai oublié de vous dire que je dirige un journal, *l'Écho du rongeur…* Et mon nom est Stilton, *Geronimo Stilton*. J'entrai dans la pièce, **haletant**, lançai mon pardessus sur le portemanteau. Ma secrétaire, Sourisette, me courut derrière, tout essoufflée, les lunettes posées de *travers* sur son museau.

Les camionnettes des laitiers zigzaguaient dans les rues…

– Ah, *monsieur Stilton*, vous voilà enfin !
Une foule de rongeurs vous attend ! Les graphistes, l'imprimeur, le photograveur, le photographe, ah oui, il y a aussi le rédacteur en chef qui veut **absolument** vous parler, et vous savez que la banque a téléphoné ? Il faut prendre une décision pour la publicité. En attendant, pouvez-vous me signer ce chèque, et voici la facture du marketing, et puis, euh, monsieur le directeur, *vous aviez promis de m'augmenter !*

J'eus un moment de découragement. Je soupirai, appuyai le museau sur mon bureau d'acajou.

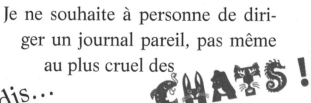

Je ne souhaite à personne de diriger un journal pareil, pas même au plus cruel des CHATS !

Je hais les lundis...

LE SECRET DE TÉA

À midi, ma sœur Téa, qui est, entre autres, envoyée spéciale de *l'Écho du rongeur*, vint me prendre au bureau sur sa moto.

– Je t'emmène déjeuner. J'ai réservé une table dans un restaurant fabuleux ! J'ai quelque chose de très important à te dire. Un secret ! murmura-t-elle.

VINGT MINUTES plus tard, je descendis de moto, tout tourNEBOULÉ.

– Tu as osé doubler ! Tu as osé doubler cette voiture alors que tu n'avais aucune visibilité ! hurlai-je en essayant de remettre de l'ordre dans mes moustaches. Mais pourquoi, pourquoi, pourquoi faut-il que tu roules si vite ? C'est dangereux, je te l'ai dit mille fois !

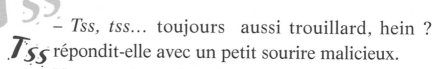

Tss

Tss

– *Tss, tss...* toujours aussi trouillard, hein ? répondit-elle avec un petit sourire malicieux.

Nous entrâmes dans le restaurant.

Téa, qui connaît tout le monde, saluait des amis à chaque table :

– Salut, Bobardeau ! Ohé, Crépin ! Mais c'est ce bon vieux Tapioca !

Nous nous assîmes enfin.

– Alors, de quoi s'agit-il ? demandai-je, impatient.

– Attends, je passe la commande. Deux assiettes de nouilles !!! cria Téa. Au gorgonzola et à la sauce piquante, *très-pi-quan-te !*

– Piquante ? Mais tu sais bien que ça me donne des **BRÛLURES** d'estomac ! protestai-je.

– Ça ne peut pas te faire de mal, au contraire, tu verras, c'est tonifiant ! Et puis il faut s'habituer à manger de tout ! Tu vas voir, au cours de *notre voyage*... murmura ma sœur avec un clin d'œil.

– Un voyage ? Quel voyage ? Pourquoi ? Tu pars ?

– *Chuuuuuuuut !* Tu veux que tout le monde soit au courant ? me dit-elle, en me pinçant la queue pour me faire taire.

– Alors, de quoi s'agit-il ? répétai-je.

– Attends, le serveur tourne autour de nous, c'est louche. Je ne voudrais pas qu'on nous espionne ! me coupa Téa.

– Mais qui pourrait bien nous espionner ? Allez, qu'est-ce que c'est ?

– Ah, si tu savais… dit-elle, d'un air mystérieux.

– Asseeez ! hurlai-je. Si tu ne parles pas tout de suite, je vais faire une crise d'hystérie !

– Bon, eh bien, c'est une histoire **incroyable.** Mais…

tu sauras garder le secret ?

– Grrrrrrr…

Je fus incapable de répondre autrement.

Téa murmura :

– J'ai découvert la carte d'une île où est caché un trésor : *l'œil d'émeraude !*

Je faillis avaler de travers.

– Une île ? Un trésor ? Une émeraude ? Tu te moques de moi ?

Téa souleva le sourcil droit.

Pfffff

– Pfffff, comme tu es nerveux, aujourd'hui !
Puis elle sortit de sous la table un parchemin
JAUNI par le temps et le déroula d'un air solennel.

Baie du
Boucanier
barbu

Pic du
Putois

Forêt du
Cœurquibat

Baie de
la Tremblote

ie du
n troué

Crique
Lalune

Crique
Culotte

Pic de la Perle

u Chatfatigué

Pic du
Pirate
puant

Plaine
des Vibrisses

u Pelage
ux

Récif de la
Griffe aiguë

que du Corsaire
sanqueue

– J'ai trouvé cette carte au marché aux puces, entre les pages d'un vieux manuel de navigation. Il faut que tu viennes avec moi, **GERRY**. C'est une occasion unique ! s'exclama-t-elle, et ses moustaches vibraient d'excitation.

– Premièrement, ne m'appelle pas **GERRY** : mon nom est Geronimo ! soupirai-je. Deuxièmement, je suis sur le point de publier le trente-deuxième volume des **BIOGRAPHIES DE RONGEURS CÉLÈBRES**. Troisièmement, je ne crois absolument pas à cette histoire : *un œil d'émeraude !* n'importe quoi !

Téa me regarda fixement, en écarquillant ses magnifiques yeux couleur violette. Puis elle revint à la charge, sournoise :

– Allez, viens avec moi... Tu es mon **grand** frère. Tu ne peux pas me laisser aller là-bas toute seule, Geronimi ! minauda-t-elle pour que je me sente coupable.

– Mon nom est **GE-RO-NI-MO** ! soupirai-je.
Ce soir-là, j'eus beau avaler, l'une derrière
l'autre, dix tasses de camomille, je ne parvins
pas à fermer l'œil !

LE BAZAR DES PUCES
QUI BOITENT

Le lendemain, ma sœur me traîna jusqu'au port.
– Alors, GeROMiNOU, tu promets de m'accompagner ? Tu ne vas tout de même pas me laisser partir toute seule ! insistait Téa.
    – Ne m'appelle pas GeROMiNOU !
Mon nom est Geronimo !

Vous ne connaissez pas Téa. Quand elle s'est fourré une Jdée dans la cervelle, il n'y a rien à faire…

– Promets-moi, promets-moi que tu vas venir avec moi ! Allez, s'il te plaît, frérot !

Hélas, j'ai fini par promettre... Et, toutes les souris le savent, la parole d'un rongeur est sacrée.

– **SCOUITTIRISCOUIT** *!* cria Téa en esquissant un pas de danse.

Nous montâmes à bord du bateau qu'elle avait choisi. Il appartenait à un vieux loup de mer à la retraite : c'était un brigantin à l'élégante silhouette, avec des voiles jaunes, couleur fondue.

Il s'appelait *La Fortunée*. C'était bon signe !

Téa me fit un clin d'œil.

– Deux marins ne suffiront pas à manœuvrer ce brigantin. Sais-tu à qui l'on pourrait demander de se joindre à nous ? à Traquenard ! Il paraît qu'il s'y connaît question voyage en mer !

MER MER MER MER MER MER MER MER MER MER

Mon cousin Traquenard ne m'a pas laissé que de bons souvenirs.

– Quand il était petit, c'était un cauchemar ambulant. Son jeu favori, c'était de me marcher sur la queue. Et tu te souviens quand il m'a teint les mouStacheS en **violet avec de l'encre** indélébile ? dis-je.

Mais Téa insistait.

C'est ainsi que nous allâmes chercher Traquenard dans sa brocante, *le Bazar des Puces qui boitent.*

Quelles drôles de marchandises dans cette vitrine crasseuse : un grigri éloigne-chat en paille tressée, une collection de fers à friser les mouStacheS en argent...

Des rongeurs à la mine renfrognée nous dévisageaient sur une vieille photo JAUNIE par le temps...

Et puis des jouets en fer-blanc, de vieilles marionnettes...

Nous entrâmes : en s'ouvrant, la porte fit tinter une grappe de grelots de laiton accrochée au plafond. Debout devant un amoncellement de meubles, le corps **GRAS-SOUILLET** bien planté sur ses pattes écartées, les bras croisés sur la poitrine et une expression canaille sur le museau, mon cousin Traquenard nous fixait d'un air de défi. D'un **bond** étonnamment agile, il s'approcha de nous.

– Que mes talons se couvrent d'ampoules ! s'écria-t-il en me broyant la patte. Regarde-moi un peu qui c'est-y que v'là ? Toujours inséparables, vous deux, hein ? Comme la poire et le fromage ! Quel bon vent vous amène ? Vous venez faire des emplettes ? Autant vous prévenir tout de suite, ce n'est pas parce que vous êtes de la famille que vous obtiendrez un rabais. Et la maison ne fait pas crédit ! nous serina-t-il dans les oreilles.

– Il n'y a pas un petit coin tranquille où l'on pourrait te parler ? demanda Téa.

Traquenard se rapprocha d'une bibliothèque bourrée de livres de tous FoRMatS, aux reliures de cuir décolorées. Il flottait une ODEUR de renfermé, comme si personne n'avait ouvert les fenêtres depuis des années. Soudain, nous entendîmes un horrible miaulement.

Miaooooo ou

Téa et moi sautâmes au plafond en hurlant.

– **OÙ EST-IL ? OÙ EST** le chat ?

Traquenard se tordait de rire, et se tenait le ventre.

– Ouah, ouaaah, ouaaaaaah ! Il n'y a pas de chat, c'est un miaulement enregistré. Ça se déclenche automatiquement quand quelqu'un traverse la cour. C'est relié à une cellule photo-électrique. C'est génial, non ?

– Ce dispositif est vraiment très amusant, Traquenard ! lança SÈCHEMENT Téa.

– Ça éloigne les voleurs… et même les curieux ! ricana Traquenard, satisfait. Ouh là là, il faudrait que je le brevette ! ajouta-t-il, pris d'une inspiration soudaine. Il y a un paquet de fric à se faire… murmura-t-il pour finir, le regard brillant.

Puis il se tourna vers nous.

– Alors, les SOUriceauX, qu'est-ce que vous avez à me proposer ? Je n'ai pas de temps à perdre : je suis une souris très occupée ! précisa-t-il d'un air important, en se grattant les mouStacheS.

Après avoir écouté notre projet, Traquenard plissa les yeux et conclut, avec suffisance :

– C'est bien parce que nous sommes parents... O.K., je viens avec vous ! Mais attention à celui qui touchera à ma part quand nous aurons trouvé le trésor !

Nous trinquâmes au succès de notre entreprise et chicotâmes, en croisant nos queues :

– À notre voyage !

Souris pour moi, souris pour tous !

EMMÈNE-MOI
AVEC TOI !

Avant de rentrer chez moi, je passai saluer Benjamin.

Plus petit que les autres, **grassouillet**, avec des oreilles Décollée**S**, Benjamin était mon neveu préféré.

Il m'accucillait toujours avec la même phrase :

– Tonton, raconte-moi une histoire !

Comme chaque fois, je m'installai CONFORTABLEMENT dans le fauteuil capitonné de la bibliothèque.

Quand il était tout petit, Benjamin s'endormait toujours avant que j'aie fini de raconter l'histoire. C'est pourquoi je lui ai dédié mon livre *Histoires pour rire*, qui fut un succès retentissant à Sourisia :

« *à Ben, pour qu'il découvre enfin comment finit l'histoire !* »

Maintenant, Benjamin avait huit, enfin, presque neuf ans !

– Tu pars ? Emmène-moi avec toi, tonton ! S'il te plaît, emmène-moi avec toi ! Je serai ton assistant ! Je porterai ton carnet de notes et je taillerai tes crayons ! me supplia-t-il.

– Ben, quand tu seras grand, je t'emmènerai avec moi. Mais, cette fois, ce n'est pas possible.

Je posai la patte droite sur mon CŒUR et, de la gauche, me tirai les mouStacheS : c'est le salut que les rongeurs réservent aux occasions solennelles. Ce geste s'appelle *toujoursensemble* : il signifie que les CŒURS DE DEUX SOURIS QUI S'AIMENT SONT TOUJOURS PROCHES L'UN DE L'AUTRE !

les cœurs de deux souris qui s'aiment sont toujours proches l'un de l'autre

IL NE MANQUE RIEN ?

– Trente kilos de fondue affinée,

quatre-vingts boîtes de bouchées de fromage au poivr.

cinquante kilos de parmesan râpé,

huit tubes de concentré de gruyère,

criai-je, lisant à haute voix la liste des commissions.

Quel remue-ménage !

– Traquenard, remplis le bidon d'eau à ras bord. Stop ! Qu'est-ce qui te prend ? Par les ossements du chat-garou ! Pas ça, c'est un jerrican d'essence ! Et toi Téa, dépêche-toi d'aller chercher la boussole que j'ai commandée au magasin nautique. Demande le propriétaire, **Nicanor Couenne-de-Thon**, dit **Toto** : c'est un ami, il nous fera un prix. Tu n'auras pas de mal à le reconnaître ! C'est une souris grise, grande et maigre, aux oreilles déplumées et à la queue poilue ! Je m'aperçus alors que Traquenard était en train de bavarder avec le mousse du bateau d'à côté :

— Et oui, c'est vrai, mon cher. Là où nous allons… je ne peux rien te dire… mais tu verras bien… quand nous reviendrons… Nous sommes à la recherche de quelque chose dont je ne peux pas te parler… Ça commence par un **T** et ça finit par un **R**… Sur une île… Eh oui, mais nous savons où la chercher, cette chose-là…

Je tirai mon cousin par la queue et chuchotai, furibond :

– Qu'est-ce qui te prend, tu veux raconter l'histoire du trésor ? Tu veux nous ruiner ?

Traquenard prit un air innocent.

– Qui, **MOI** ??? J'ai parlé du trésor, moi ? Il y a plein de mots qui commencent par un **T** et finissent par un **R** : *tracteur, tambour, truqueur*, et même *tricheur* !

– Grrrrr ! grondai-je, furieux.

À six heures du soir, nous avions fini de tout charger. Je courus à « ***Tout pour le rat aventurier*** », le meilleur magasin d'articles de sport de la ville. J'entrai comme un éclair.

– Vite, j'ai besoin de tout le nécessaire pour un long voyage en mer… et je n'ai pas beaucoup de temps ! criai-je au directeur du magasin.

– *Monsieur Stilton* ! Quel honneur ! claironna-t-il en réponse.

Puis il réussit à me convaincre que j'avais **ab-so-lu-ment** besoin de plein de choses.

Par exemple, un maillot de bain léopard (qui me paraissait très osé), des couvre-queues et des couvre-oreilles molletonnés (pour les grands froids), un casque d'explorateur (avec un mini-ventilateur intégré pour rafraîchir le crâne), un canif multi-usage comprenant cinquante accessoires (dont une boussole, des cure-dents, des cotons-tiges et un petit peigne à moustache !), un chronomètre imperméable (avec lequel je pourrai plonger jusqu'à 300 mètres de profondeur, mais, de toute façon, il n'en était pas question !).

– J'ai également besoin d'une valise ou, mieux, d'une malle ! annonçai-je ensuite au directeur.

– J'ai compris que vous étiez un connaisseur, murmura-t-il, l'œil *pétillant*. J'ai quelque chose de très exclusif à vous montrer !

Il me précéda dans l'arrière-boutique, tira une grosse clef de sa poche et ouvrit la porte d'une petite pièce où flottait un *vague parfum* de cuir. D'un geste de prestidigitateur, il souleva un drap de soie.

Une malle-cabine **haute** comme une souris apparut, recouverte de cuir **JAUNÂTRE**, renforcée de tous côtés par des clous de cuivre brillants.

Elle était **large** de deux queues, et **longue** au moins de trois. Une sangle couleur moutarde l'entourait, pour garantir une fermeture à l'épreuve des chats !

– N'est-ce pas une pure merveille ? demanda le directeur.

Il l'ouvrit avec un grand **respect.**

À l'intérieur, il y avait des cintres pour les vêtements et un compartiment à chapeaux doublé de soie couleur gruyère.

Rien ne manquait, ni les bouteilles de cristal à bouchon émaillé, ni les peignes, brosses et miroir à manche d'argent ciselé.

La malle contenait même une écritoire de voyage en bois de ROSE, avec un abattant, un casier pour ranger plumes et crayons, un autre pour le papier à lettres, et un petit, un picminuscule tiroir secret...

– Je la prends ! M'EXCLAMAI-JE.

– Je savais que ça vous plairait, *monsieur Stilton !*

Il n'y a rien de mieux pour un long, aventureux, romantique voyage en mer.

Vous êtes vraiment un rongeur chanceux ! murmura le directeur d'un air songeur.

Je commençais à y prendre goût !

... dh, l'air saturé de l'odeur des algues et du sel...

EN MER,
AVANT L'AUBE

Ah, la _brise vivifiante_ qui souffle de la mer…
ah, l'air saturé de l'odeur des algues et du sel…
Fermement campé devant la barre que je serrais
entre mes pattes, j'étais tout à l'émotion du
départ.

C'était l'aube : le soleil commençait à peine
à poindre à l'horizon, blanc comme un camembert.

La mer était plate comme une poêle remplie
d'huile et elle s'écartait doucement devant la
proue de _la Fortunée_ que, déli-
cate, elle caressait _vague après vague…_

Les embruns mouillaient mes moustaches.

Nous venions juste de partir, mais j'avais l'impression d'avoir toujours été marin !

Je portais un ciré jaune anti-brouillard, avec un pantalon qui m'arrivait aux aisselles et un chapeau imperméable.

J'adore le jaune, il me rend joyeux. C'est une couleur qui porte bonheur aux souris. C'est la couleur du fromage !

De ses doigts indiscrets, le vent essayait de se Faufiler partout : dans mon col, dans mon pantalon… Mais j'étais bien couvert, tout rembourré de laine sous le ciré. Je pensai à Ben. Comme il me manquait !

J'étais surpris qu'une si petite souris puisse laisser un vide aussi grand !

Le cours de mes réflexions fut interrompu par Traquenard, qui s'avança sur le pont en bâillant bruyamment.

– Salut, cousin ! me salua-t-il en agitant un paquet de chips. Tu en veux ? **NOOON** ? ajouta-t-il, la bouche pleine, en mettant ses lunettes de soleil.

– Ne graisse pas le pont ! criai-je.

– Ouh, tu ne vas pas faire la tête pour ça ! marmonna-t-il, en posant justement une patte graisseuse sur le pont.

Je fis semblant de ne pas avoir vu, afin de ne pas entamer la bagarre.

– Au lieu de jouer au malin, tu ferais mieux d'aller me chercher les cartes nautiques ! Je dois vérifier que nous suivons la bonne route pour l'île au trésor.

– **O.K., O.K.,** cousin, couina Traquenard, en agitant une bouée de sauvetage.

– **Stop**, par pitié ! **criai-je.**

– Qu'est-ce que j'ai fait, encore ?

– Tu allais t'asseoir sur mes lunettes ! murmurai-je. J'en avais eu des **SUEURS FROIDES** : sans mes lunettes, je ne sais pas reconnaître un *saucisson* d'un **fromage**.

Pourquoi, **pourquoi**, pourquoi avions-nous emmené mon cousin ?

DES PALOURDES
BIEN FRAÎCHES

Le soir tombait. Le *soleil*, qui *s'enfonçait* dans la mer à l'horizon, était rouge comme une cerise confite et se reflétait dans une mer pourpre comme du **sirop** de framboise, tandis que, dans le ciel, flottaient des nuages si blancs et si moelleux qu'on aurait dit de la crème Chantilly.

– Quelle heure *romantique* ! soupirai-je.

Soudain...

– Par neuf cent quatre-vingt-dix-neuf scalps de chats chauves ! Bon sang de bon sang de bon sang de fourneaux !

C'était la voix de mon cousin.

Téa et moi nous précipitâmes.

– Quoi ? **Que se passe-t-il ?**

Traquenard sautillait sur une patte.

– Si je tenais l'inventeur de ces fourneaux qui bringuebalent de **TOUS** les **CÔTÉS** comme s'ils dansaient un numéro de claquettes claquettes ! Je me suis ébouillanté la patte avec la sauce aux palourdes ! cria mon cousin en se massant amoureusement le gros orteil. Bon, puisque vous êtes là, mettez donc la **TABLE**, enchaîna-t-il. Pendant que vous respirez l'air **FRAIS** sur le pont, moi, je travaille ! Je ne peux quand même pas tout faire !

Puis mon cousin s'assit en gémissant sur un petit divan **rembourré**, et, plissant les yeux, examina sa patte blessée.

Téa salait les pâtes tandis que je humais la bonne odeur de la sauce aux palourdes.

– Maintenant, je comprends pourquoi, au Moyen Âge, on versait de l'huile **bouillante** sur les assaillants du haut des remparts des forts ! glapit mon cousin.

– Je ne t'aurais jamais cru aussi savant, observai-je en remplissant mon assiette.

– Tu parles de culture ! J'ai vu ça dans un dessin animé à la **TÉLÉ** ! La **TÉLÉ** sait tout !

– Oui, bien sûr… répondis-je, distrait.

Je reniflai la sauce.

– Mais ces palourdes sont vraiment fraîches ?

– Fraîches ? Tu veux rire. Elles sont **EXTRA-FRAÎCHES** ! Plus fraîches que ça, tu meurs ! Parole de souris ! Enfin, euh, ***parole de rat d'égout !*** dit Traquenard, faisant mine de croiser les pattes comme pour le serment des souris. Mais pourquoi demandes-tu cela ?

– Oh, elles ont une **PETITE ODEUR**… Elles sentent le…

– Elles sentent le quoi ? insista Traquenard, menaçant.

– **L'ÉGOUT** ? hasardai-je.

– Mais tu n'entends pas quand je parle ? Tu as un bouchon de fromage dans les oreilles ou quoi ? Je t'ai dit qu'elles étaient **EXTRA-FRAÎCHES** ! Tu cherches vraiment à me vexer, ma parole ! Oh, et puis tant pis pour toi si tu n'as pas envie d'y goûter !

– Il faut que j'aille vérifier notre route. Mon tour de garde va commencer ! cria Téa, attrapant un morceau de pain et s'enfuyant à toutes jambes. Ses derniers **MOTS** furent emportés par la *BRISE* qui soufflait gaiement sur le pont.

J'hésitai un instant, puis je commençai à manger lentement.

– Moi, je ne goûte pas les palourdes : tu m'as coupé l'appétit ! disait Traquenard en grignotant du pain et du gruyère.

À deux heures du matin, je me réveillai,

les yeux exorbités, avec un atroce mal de ventre. On aurait dit qu'un **CHAT** me *lacérait* l'estomac à coups de griffes !

Je me précipitai aux toilettes sans prendre le temps de mettre mes lorgnons. Je me pris les pattes dans le tapis et mon museau alla **s'écraser** contre l'armoire à pharmacie. Puis je me jetai à la *vitesse* de la lumière sur le seul siège où l'on s'assied avec le pantalon baissé. Pendant que je massai la bosse que je m'étais faite sur le museau, un soupçon s'imposa à mon esprit. Et si c'étaient les palourdes qui m'avaient **joué** ce mauvais tour ?

La porte des toilettes s'ouvrit brusquement. Traquenard, les yeux tout gonflés de sommeil, tendait le museau en se bouchant les narines d'un air dégoûté.

– À quoi tu joues ? La **GUERRE** des gaz ? Tu veux tous nous asphyxier ?

Téa arriva à son tour, réveillée par le bruit.
– Allez, dis-nous tout, Traquenard ! Où as-tu
acheté ces palourdes ? demanda ma sœur.
Mon cousin se tut, gêné, frottant sa patte qui
n'avait pas été ébouillantée sur la moquette.
– À la poissonnerie... euh, au rayon des
SURGELÉS ! avoua-t-il d'un air coupable.
– Des SURGELÉS ? Mais tu nous as dit qu'elles
étaient fraîches ! sursautai-je.
– Bien sûr qu'elle étaient fraîches ! Et plus que
fraîches, même ! Elles étaient EN DESSOUS
DE ZÉZO DEGRÉ ! rétorqua mon cousin en
recouvrant sa désinvolture coutumière. Elles
étaient, euh, en promotion. La souris qui me les
a vendues le mois dernier m'a conseillé de les
manger le jour même, parce que sinon elles
seraient gâtées... Évidemment, je ne l'ai pas
crue, tu connais les poissonniers, ils exagèrent
toujours... bredouilla Traquenard.

– *Grrrrr*… Ça ne te suffisait pas d'être brocanteur, il fallait que tu sois aussi empoisonneur… hurlai-je. J'essayai de l'attraper, mais je m'emmêlai les pattes dans le rouleau de papier hygiénique.

Pourquoi, **pourquoi**, **pourquoi**, avions-nous emmené mon cousin ?

MYSTÈRE À BORD

Au matin du huitième jour *en mer*, nous étions très proches de l'île au trésor : *le vent et les courants jouaient en notre faveur.* Après mon tour de garde, je descendis dans la cambuse où nous avions stocké les provisions. Des miettes par terre ? Tiens, tiens. Bizarre, très bizarre. Je les suivis : elles conduisaient à un tonneau de **POMMES ROUGES**. Plein de méfiance,

je soulevai le couvercle. Ouh là là, cinq trognons !

TOUT FRAIS, à peine **rongés** ! Y
avait-il un passager clandestin à
bord ? J'attendis pour en parler
à mes compagnons. Si je
me trompais, ils se
moqueraient de
moi durant

MOQUERAIENT DE MOI DURANT TOUT LE VOYAGE

tout le voyage !
Le soir, alors que
les autres étaient allés
faire dodo, je saupoudrai
du talc devant la porte de la cuisine. Puis
j'attachai un fil à la poignée de la porte du
garde-manger.
Le lendemain matin, je descendis pour aller vérifier. Le fil avait été arraché, ce qui signifiait que
quelqu'un était allé se fournir en victuailles. Je

découvris des empreintes de pas dans le talc.
Vraiment bizarre ! Elles étaient très, très petites.
S'agissait-il d'une souris naine ?

Je décidai de prendre ce rongeur rusé la patte
dans le sac. Cette nuit-là, je gardai à portée de
patte la batte de base-ball que m'a offerte
mon ami le champion **Longbatteur
Bonbatteur**, dit Muscledor. J'étais prêt à
matraquer la queue de tout rongeur malinten-
tionné !

Il était une heure du matin
quand j'entendis des

grincements dans la cale. Avant toute chose, je mis mes lunettes : sans elles, je ne distinguerais pas un chat d'un rat. Dans la patte droite, j'empoignai une torche électrique ; dans la gauche, la batte de base-ball.

Le petit malin était en train d'ouvrir la porte du réfrigérateur. Je m'approchai sur la pointe des pattes en brandissant la batte, j'allumai la lumière... et je découvris Benjamin, qui grignotait un biscuit au gingembre !

– Salut, tonton ! couina-t-il en

me sautant au cou et en me donnant un baiser sur la pointe du museau. Alors, tu es content que je sois là pour te tenir compagnie ?

– MAIS... TU... MAIS COMMENT... MAIS QUAND... ENFIN QU'EST-CE QUE TU FAIS ICI ? balbutiai-je.

– Tu vas voir, je me rendrai utile ! Je tiendrai ta cabine en ordre, je plierai tes vêtements, je suis très fort pour plier les vêtements, tu sais. Et puis je te servirai de secrétaire, comme ça, à ton retour, tu pourras écrire un très beau livre !

Il n'y avait qu'une chose à faire : je le serrai très fort contre mon cœur.

– Je t'aime beaucoup, Benjamin. Je suis heureux que tu sois là !

UNE SOURIS
À LA MEEER !

Il était onze heures du soir et j'effectuais mon tour de garde à la barre.

– Tout va bien, Ger ? demanda Téa en montant sur le gaillard d'arrière.

– Tout va bien, sœurette ! Mais ne m'appelle pas Ger, s'il te plaît ! répondis-je.

Une brise fraîche s'était levée.

LE TEMPS ÉTAIT-IL EN TRAIN DE CHANGER ?

Je levai le museau pour observer les nuages. Au même moment, le bateau se pencha sur le côté. La bôme vint heurter mon dos et me propulsa par-dessus bord.

Je n'eus même pas le temps de pousser un *SCOUIT*... déjà le bateau s'éloignait, tandis que

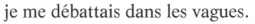

je me débattais dans les vagues.

– Une souris à la meeeeer !

Toutes les lumières du bateau brillèrent d'un coup. *La Fortunée* vira brusquement de bord et fit demi-tour.

Sur le pont, on avait allumé un projecteur dont le rayon lumineux balayait les vagues.

– **SCOUIIIIIT !** Ohé, je suis là !

Les vagues me ballottaient de haut en bas, comme un bouchon.

L'eau était glacée, et le froid pénétrait dans mon pelage : je claquais des dents comme des castagnettes.

– Regardez là-bas ! C'est lui ! entendis-je crier.

Soudain, la lumière du projecteur m'enveloppa. **Ils m'avaient retrouvé !** Ils me lancèrent le bout d'un filin, mais je n'arrivai pas à l'attraper : je coulai. Soudain, une patte robuste me saisit par les oreilles et me ramena à la surface. C'était Traquenard !

– Accroche-toi à ma queue, cousin !

En quelques instants, il me remorqua jusqu'à *La Fortunée*. Ben et Téa déroulèrent une échelle de corde.

– Splouttt ! Je crachai une gerbe d'eau, et je rouvris les yeux au moment où Traquenard me sautait sur le ventre.

– IL EST VIVANT ! IL EST VIVANT !

criait mon cousin.

Mes oreilles étaient **VIOLACÉES** de froid.

Téa me tenait par la patte, les yeux brillants d'émotion.

– Oncle Traquenard, tu es un vrai héros ! disait Ben avec admiration.

– Vraiment, Trac ! Nous ne savons pas comment te remercier ! répétait Téa avec gratitude.

Traquenard rougit.

– Ce n'est rien, rien du tout, les Souriceaux. Pour un rat comme moi, c'est vraiment trois fois rien... la routine. On ne va pas y passer le réveillon !

Et il s'éloigna en **SIFFLOTANT**, les pattes derrière le dos.

Quel drôle de rongeur : il joue au gros dur, mais il a le cœur aussi tendre que de la cancoillotte !

LES VRAIS LOUPS DE MER SAVENT TOUJOURS QUOI FAIRE

À l'aube du quinzième jour de navigation, je me réveillai en sursaut.

– Debout, frérot ! Nous allons essuyer un grain !

Tout hébété, les yeux **GONFLÉS** de sommeil, j'enfilai mon ciré et suivis Téa sur le pont : à l'est, une armée d'énormes nuages noircissait le ciel.

– *Vite*, amène les voiles, Téa ! Attends, ne laisse que la plus petite, le tourmentin. Mais où est Traquenard ? Je vais le chercher, c'est un vrai loup de mer, il saura quoi faire…

Je laissai la barre à Téa et courus chercher mon cousin sous le pont. Le bateau était ballotté en

baLLotté eN toUS SeNS

tous sens, giflé par des vagues de plus en plus hautes. J'ouvris la porte de la cabine de Traquenard : mon cousin était allongé sur sa couchette, blotti sous ses couvertures.

– Traquenard, *La Fortunée* embarque beaucoup d'eau. Nous ne savons pas quoi faire ! criai-je en le secouant.

– Moi... non... plus ! marmonna Traquenard en écarquillant les yeux.

– Mais je croyais que tu t'y connaissais en bateaux ? Tu n'as pas été commandant d'un navire ?

Pour toute réponse, mon cousin se redressa d'un bond, me regarda fixement et vomit brusquement dans le chapeau que j'avais imprudemment posé sur sa couchette.

– **SCOUIIIT !** m'écriai-je en sautant en arrière. Je me cognai contre l'armoire de Traquenard, et un livre tomba sur le plancher. Son titre :

Cours de navigation par correspondance

(en 800 leçons). Je fus pris d'un doute atroce.
Je saisis le volume et le feuilletai. Le signet était
glissé page 11 : *« Leçon numéro
trois : la barre sert à diriger
le bateau... »*

J'eus du mal à trouver mes
mots :

– Tu... tu... tu...
Abominable sous-
espèce de ron-
geur ! Immonde
rat d'égout ! Tête
de reblochon ! On
réglera nos comptes plus tard !
Puis je retournai à la barre.

Des vagues énormes, hautes comme des mai-
sons de trois étages, s'écrasaient sur le pont.
Chaque fois que la proue s'enfonçait dans une
vague, le bateau s'inclinait effroyablement,
avant de se cabrer en arrière, avec des effets

désastreux sur les estomacs des membres de l'équipage.

– IL VA FALLOIR SE DÉBROUILLER TOUT SEULS ! criai-je à ma sœur.

Téa devint pâle comme un camembert lavé, et, pendant un instant, une lueur de désespoir brilla dans ses yeux, mais elle se reprit bientôt.

– ON SE DÉBROUILLERA SANS LUI !

conclut-elle, en haussant les épaules.

Ma sœur est une sacrée souris ! Vraiment un **SUPER** rongeur !

Le vent ne cessait de forcir et couvrait tous les autres bruits de son sifflement assourdissant. C'était un coup de vent de force huit.

« Par les crocs cariés du chat-garou, ce n'est pas une tempête, c'est une tornade ! » pensais-je, de plus en plus inquiet.

Quelle poisse ! Encore deux ou trois jours de traversée à peine, et nous débarquions sur l'île au trésor !

Quand le vent faiblissait, j'entendais les gémissements de mon cousin, victime d'un atroce mal de mer. Il avait tout simplement oublié de dire que, sur son navire, il n'avait pas été commandant, mais cuistot.

La nuit tomba, et ce fut pire encore, si possible.

Dans le noir, on ne distinguait pas la direction des vagues et le bateau tanguait dangereusement.

Nous étions trempés jusqu'aux os...

Quand le jour se leva, il dévoila une mer **LIVIDE**, labourée par des vagues rageuses.

Puis, soudain, ce fut la catastrophe :
une *rafale de vent* plus forte que les autres
fit sauter avec un bruit sec
un hauban métallique.
Le mât se brisa, *La Fortunée*

S'INCLINA

INÉLUCTABLEMENT.

PUIS L'EAU

L'ENVAHIT.

Nous coulions

LA MALLE
AUX MERVEILLES

Je plongeai dans de l'eau **GLACÉE**. Je me débattis longuement pour remonter à la surface, crachai des litres d'eau salée et me remplis les poumons d'air.

Mais, aussitôt, une autre vague énorme me submergea. J'avais l'impression d'être dans une centrifugeuse !

Soudain, entre deux vagues, je distinguai un pelage marron...

– Benjamin !

Je l'attrapai par la queue : au même moment, comme par magie, le vent retomba.

Zut, zut, zut, maudite tempête ! *La Fortunée* avait sombré et nous n'avions rien à quoi nous raccrocher. Rien. Mais...

Je reconnus une forme familière.

– Par les mou**S**tache**S** à tortillon du perfide chat-garou ! C'est ma **MALLE** !

Je m'y agrippai avec la force du désespoir. Sauvés. Nous étions sauvés !

Nulle trace de Téa ni de Traquenard. Debout sur la malle, je scrutais l'horizon sans répit. À midi, j'aperçus deux petits, deux minuscules points noirs qui apparaissaient et disparaissaient au loin, ballottés par les vagues.

Mon cœur se mit à battre **FURIEU-SEMENT**.

– Téa ! Traquenard ! criai-je à tue-tête.

C'étaient eux.

Je ramai avec mes pattes, à perdre haleine.

– Accrochez-vous à ma queue ! hurlai-je.

– On en a bavé, cousin… souffla Traquenard en s'affaissant sur la **MALLE**, le pelage tout dégoulinant.

– Heureuse de te revoir, frérot ! murmura Téa, en enlaçant sa queue à la mienne, en signe d'affection. Je l'embrassai et la serrai fort contre mon cœur.

Téa reniflait, aussi émue que moi.

Traquenard pleurait, lui aussi, mais de désespoir, pas d'émotion.

– *L'œil d'émeraude*… snif… Sans la carte, on ne le trouvera jamais !

Téa ricana :

– La carte ?

Elle glissa une patte sous son gilet et en sortit un parchemin froissé.

Scouiiit ! Scouiiit ! Scouiiit ! Scouiiit ! Scouiiiiiit ! Scouiiiit ! Scouiiit ! Scouiiit ! Scouiiit ! Scouiiit !

– SCOUIIIT !

Traquenard improvisa une gigue, passant des larmes à la joie la plus effrénée.

C'est alors que Benjamin ouvrit les yeux.

– Comment te sens-tu, souriceau ?

– C'est toi, oncle Geronimo ? murmura-t-il.

– Oui, ma lichette de gruyère, c'est bien moi ! susurrai-je affectueusement.

– Tout va bien se passer, tu verras…

Scouiiit !

Scouiiit !

Scouiiit !

Scouiiit !

Scouiiit !

ADIEU,
ROBE DE CHAMBRE !

Téa essaya de faire le point :

– D'après mes calculs, nous sommes tout proches de l'île au trésor.

Soudain, elle aperçut une tache blanc et noir qui traversait le ciel.

– Un pélican ! Cela veut dire que nous ne sommes plus très loin !

Traquenard poussa un cri. Je sursautai.

– Qu'y a-t-il ? Tu es vraiment obligé de hurler comme ça ?

– Je viens d'avoir une idée ! me couina-t-il dans les oreilles.

Puis il saisit la poignée de la **MALLE** et essaya d'ouvrir le couvercle.

– Que fais-tu ? Tu veux que nous tom-
bions tous à l'eau ? protestai-je.
Traquenard dessinait un triangle en
l'air, avec des gestes frénétiques.
– Mais pourquoi gesticules-tu
comme un pantin ? Qu'est-ce
qui te prend ? criai-je.

Robe de chambre... ceinture... rayures bleues !

Traquenard, ému, **postillonnait** :
– *Robe de chambre... ceinture... rayures bleues !*
Enfin il sortit de la malle ma robe de chambre
en soie à rayures bleues... et la déchira en deux !
– JE SUIS UN GÉNIE ! UN VRAI GÉNIE !
Parfois, je me trouve tellement intelligent que
j'en suis tout intimidé. Regardez : on va utiliser
ce chiffon pour faire une voile !
– Un chiffon ! Comment oses-tu ? C'était ma
robe de chambre en soie, avec ses bOutOns d'ar-
gent ! Celle avec mes initiales brodées au fil d'or !
– Ouh là là, tu ne vas pas en faire une jaunisse !

Qu'est-ce que tu peux être égoïste ! Tu ne penses qu'à ta petite robe de chambrette, alors qu'il est question d'un trésor à se partager ! **Geronimoïde**, tu me déçois !

– Ne m'appelle pas **Geronimoïde** ! Mon nom est Geronimo. Geronimo, tu as compris ? répétai-je, hors de moi.

Trop tard ! Nous hissâmes la voile-robe de chambre sur un cintre de bois qui servait à suspendre les habits dans la malle.

Nous commençâmes à naviguer.

– J'ai soif ! J'ai l'impression d'avoir la langue en velours côtelé ! marmonnait Traquenard. Qu'est-ce que je ne donnerais pas pour une *glace*. Tu te souviens du glacier *Ratdeglaçon* ? Il y fait toujours **FRAIS**, même en plein mois d'août : là-bas, ils mettent la climatisation à fond ! Et ils ont des glaces à tous les parfums : mozzarella, maroilles, gorgonzola… Ils ont même du milk-shake au camembert et du sorbet au pont-l'évêque !

La chaleur était écrasante, et nous avions le moral à zéro.

Et puis, un matin au point du jour, un grondement de tonnerre fit VIBRER le ciel. Une goutte tomba sur le bout de mon museau. Une autre goutte. C'était de l'eau douce. Il pleuvait !

L'averse était si drue qu'on avait l'impression de prendre une douche. Je lapai les gouttes qui tombaient sur ma langue : le bonheur !

Mes compagnons daNSaieNt sous la pluie, comme des fous. En un instant, aussi *soudainement* qu'elle avait commencé, la pluie s'arrêta. Mais elle avait rempli tous les récipients que nous avions préparés !

Nous nous embrassâmes, nous fîmes une tresse de nos queues et chicotâmes fièrement en chœur :

Souris pour moi, souris pour tous !

Traquenard fut le premier à débarquer sur l'île...

TEEEEEEEEERRE !

Enfin, à l'aube du huitième jour après la tempête, dans la lueur pâle qui précède le lever du soleil, j'entendis un cri :

– **Teeeeeeerrë**

J'observais l'île qui semblait flotter au-dessus des vagues et se rapprochait, de plus en plus verte. Au-dessous de nous, l'eau filait comme un tapis transparent couleur émeraude. Traquenard débarqua le premier. Le sable, blanc et fin, croquait sous nos pas comme une chips sous la dent. Mon cousin se jeta à terre et baisa le sol. Puis il se retourna, avec plein de sable collé sur le museau :

– Ah, Souriceaux, personne ne me déclouera d'ici...

Je suis un rat de terre, moi, pas un rat de mer !

VERT
ÉMERAUDE

L'eau des bas-fonds était *verte*, et *verte* la végétation. On aurait dit que la nature s'était divertie
à peindre, avec un pinceau magique, l'île au trésor de mille tonalités diverses : le *vert* tendre des
bourgeons, le *vert* sombre des feuilles de bananier, le *vert* intense des palmiers. Après avoir
traîné la **MALLE** sur la plage, nous entre-
prîmes l'exploration de l'île. Nous nous
frayâmes un chemin dans la végétation, nous
glissant entre un **buisson** et une **liane**, piétinant
des feuilles rendues brillantes par la pluie, esca-
ladant des troncs gainés de lianes, contournant
des rochers gigantesques tapissés de mousse.
Nous marchions depuis une dizaine de minutes

quand nous enten-
dîmes un bruit. On aurait
dit... oui, c'était vraiment comme...
Une cascade tombait en pluie du
haut d'un rocher, formant à ses
pieds un lac cristallin. Devant la cascade avait poussé un arbre si haut
qu'on aurait dit un immeuble de
plusieurs étages. C'était un baobab : il avait de grosses branches,

des racines noueuses qui s'accrochaient à la roche. Le petit lac était entouré de larges PIERRES plates, couvertes de mousse, et de touffes de fougères **GÉANTES**. L'île était pleine d'arbres fruitiers : bananes, mangues, papayes pendaient aux branches et attendaient qu'on les cueille, comme au supermarché. J'attrapai plusieurs *fruits* et les apportai à mes amis. Benjamin poussa un cri de joie, s'em-

para d'une énorme tranche de papaye que j'avais préparée pour lui et la dévora avec appétit.

– **Ger** a apporté le repas ! cria Téa, en sortant de l'eau.

– Holà, *Geronimâtre* ! On va enfin manger ! couina Traquenard.

– Geronimâtre ? Vous savez bien... je vous l'ai déjà dit plusieurs fois... mon nom est...

MO !

Pourquoi, pourquoi, pourquoi, pourquoi, pourquoi faut-il que je passe ma vie à le répéter ?

TOUT LE MONDE EN RANG !

Nous passâmes la nuit sur le grand **BAOBAB**. Blottis dans un creux, au croisement de deux grosses branches, nous nous serrions les uns contre les autres pour nous réconforter. Je ne fermai pas l'œil de la nuit, j'avais trop peur de tomber de l'arbre dans mon sommeil !

Le lendemain matin, nous tînmes conseil.

– Il faut décider qui va être le chef ici, sur l'île. Nous allons voter à patte levée !

Traquenard vota pour lui-même. Téa vota pour moi. Benjamin et moi, nous votâmes pour Téa.

Ma sœur s'éclaircit la voix :

– Mes **Amis**, vous n'aurez pas à

regretter de m'avoir élue, dit-elle, tout émue.

Elle essuya une grosse larme en douce.

Puis elle hurla :

– **Tout le monde en rang !** Je vais distribuer les corvées, vous viendrez au rapport à midi… et soyez à l'heure ! Quand je dis midi, c'est midi. Pas une minute de plus, pas une minute de moins !

COMPRIS ? COMPRIS ? COMPRIS ?

– Oh, elle s'est déjà monté la tête, celle-là ! J'avais bien raison de voter pour moi ! marmonna Traquenard sous ses moustaches.

Téa marchait de long en large sur la plage.

– Nous allons construire un refuge sur le **BAOBAB**. Cela nous prendra deux ou trois jours. Puis nous partirons à la recherche de l'*œil d'émeraude* !

– Ouh là là, le trésor ! s'écria Traquenard, qui recouvra d'un coup sa bonne humeur.

Cependant, Téa écrivait sur une feuille de bananier une longue liste de choses à faire :

– Geronimo, tu t'occuperas des victuailles : tu nous trouveras des fruits, des baies et des racines ; tu pêcheras des crabes et des mollusques. Toi, Traquenard, je te nomme chef cuisinier.

– **TU NE POUVAIS PAS MIEUX CHOISIR, CHEF** ! Tu vas voir les bons petits plats que je vais vous mijoter ! À s'en lécher et à s'en pourlécher les babines ! s'exclama mon cousin.

– Benjamin, toi, tu m'aideras à construire la cabane sur le **BAOBAB**. Et maintenant, tous au boulot !

Souris pour moi, souris pour tous !

UNE PAGE DE
MON JOURNAL

Cher   journal,

J'écris sur une feuille de bananier, parce que je n'ai plus de papier. Il nous a fallu trois jours pour finir la cabane sur le baobab. À l'aide de branches et de planches de bois, nous avons construit la plate-forme ; avec des bambous, les échafaudages pour passer d'un étage à l'autre. Une grande roue de bois, actionnée par le courant du ruisseau, tourne en permanence. Quoi d'autre ? Ah oui, Traquenard et Téa se disputent sans arrêt pour

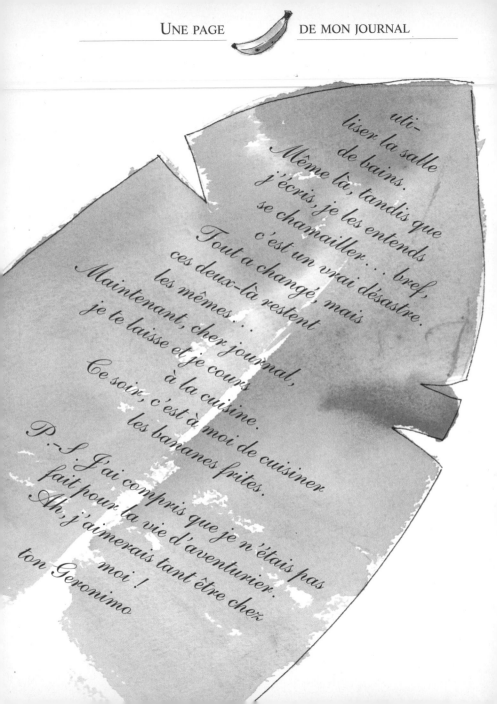

uti-
liser la salle
de bains.
Même là, tandis que
j'écris, je les entends
se chamailler... bref,
c'est un vrai désastre.
Tout a changé, mais
ces deux-là restent
les mêmes...
Maintenant, cher journal,
je te laisse et je cours
à la cuisine.
Ce soir, c'est à moi de cuisiner
les bananes frites.

P.-S. J'ai compris que je n'étais pas
fait pour la vie d'aventurier.
Ah, j'aimerais tant être chez
moi !
ton Geronimo

DES MORCEAUX
DE FROMAGE

Téa avait veillé tard ce soir-là. Qu'est-ce que ma sœur pouvait bien tramer ? Quand on la connaissait, on pouvait s'attendre à tout.

Au matin, nous prenions notre petit déjeuner à l'ombre du baobab quand Téa arriva en dépliant la carte.

– **Hourra ! J'ai réussi !**

Traquenard sursauta.

– Mais pourquoi faut-il que les **FILLES** crient toujours ? Hein ? Qu'est-ce que ça veut dire ? Alors ?

Téa se jucha sur la table et proclama :

– J'ai découvert...

Elle marqua une pause, de façon théâtrale.

– Quoi ? Quoi ? Mais quoiii ? souffla Traquenard en la saisissant par la queue..

Téa se lissa les oreilles, d'un air important.

– J'ai d'abord fait le point avec l'astrolabe. Puis avec une triangulation… et après j'ai consulté les logarithmes de…

– **ASTROLAMPE ? STRANGULATION ? LOCOMORYTHME ?** soupira l'autre. Je ne supporte pas quand elle fait **l'intellosouris** !

Ma sœur désigna la carte.

– Il suffit de marcher vers le nord, en direction de la *baie du Boucanier barbu*, puis de contourner le pic du Putois, avant de redescendre vers le sud, jusqu'au *saut du Chat*. Nous arriverons au fleuve du *Pelage pouilleux*, que nous devrions longer jusqu'au pic du Pirate puant. Quand nous serons là, ce ne sera plus qu'une promenade de santé pour trouver l'*œil d'émeraude* !

Au mot *émeraude*, Traquenard changea de ton :

– Ouh là là, cousinette… euh… permets-moi d'être le premier à te complimenter… euh…

mais tu sais que tu es vraiment très **intelligente** ? Bon, que disais-tu, sur ce trésor, hein ? Où se trouve-t-il, d'après toi ?

Téa soupira :

– Mais enfin, tu as des tranches de fromage sur les yeux ou quoi ? Regarde, ici, sur la carte : il y a un **X** énorme, grand comme une meule de gruyère !

Traquenard ne se vexa pas, au contraire, il continua à la flatter :

– Ma chère, ma très chère cousinette, il me semble que nous pourrions partir dès demain matin, euh, ce soir plutôt, moi, je suis prêt tout de suite !

ABSOLUMENT TOUT DE SUITE !

J'intervins :

– Doucement, doucement, doucement, expliquez-moi tout tranquillement. Il faut tracer un itinéraire, calculer les délais, décider des étapes. Traquenard était de plus en plus excité.

– Des délais ? Des étapes ? Tu ne vois pas que cette maligne a tout prévu ? Allez, on part, en route !

Ces deux-là m'avaient exclu. Ils complotaient à voix basse, discutant des détails du voyage, tandis que Benjamin chicotait d'un air rêveur :

– Le trésor, ah, le trésor...

UNE TÊTE DE MORT

Le départ avait été fixé à six heures du matin, mais à quatre heures, mon cousin était déjà debout.

– Allez, en route, les mulots ! hurlait-il dans un **MÉGAPHONE** en feuilles de bananier.

Téa lui lança une noix de coco qui l'atteignit à l'oreille droite.

– Tu sais l'heure qu'il est ? Si je t'attrape, je me fais un manchon pour l'hiver avec ton pelage ! criait ma sœur en le poursuivant de branche en branche dans le **BAOBAB**.

Traquenard ricanait :

– En route, en rouuuute. Je suis prêt, archiprêt, et même archisuperprêt ! répétait-il. Si vous ne vous grouillez pas, je ne vous attendrai pas ! braillait-il dans son mégaphone.

Téa s'arrachait les moustaches de colère.

– **C'est toi qui as voulu l'emmener !**
avais-je envie de lui dire, mais je me tus, parce
que ma sœur avait une lueur **FÉROCE** dans
les yeux.

si vous ne vous grouillez pas

je ne vous attendrai pas

Nous nous mîmes en route en file **INDIENNE**.
Nous marchâmes toute la journée. Le soir, nous
aperçûmes le **PIC DU PUTOIS**.
Téa consulta la carte.

– Nous sommes arrivés à la première tête de mort, à laquelle correspond cette légende :

Si tu te trouves un rocher
Recouvert de lichen,
Cesse de gigoter,
Ça n'en vaut pas la peine !

Je regardai autour de moi, perplexe.

– Voici le rocher dont parle la CARTE. En effet, il est recouvert de lichen !

Je fis quelques pas en sa direction, précédant mes amis.

– Mais je ne vois rien de spécial autour. Il n'y a que du sable. Rien que du sable ! Du sab…

Je n'eus pas le temps de finir ma phrase que je commençai à m'enfoncer dans le sol. *Ah!*

– Eh, regardez ! ricanai-je. Ah ah ah ! Regardez, le sable m'arrive aux chevilles… aux genoux, *Ah!* même ! *Ah!*

Téa m'observait. Elle ne riait pas.

– Geronimo,
j'ai une mauvaise
nouvelle !
– Ah oui ? C'est quoi ?
demandai-je distraitement.
– Geronimo, je crois que ce
sont des **sables mouvants** !
– Par mille croûtes de
gorgonzola ! Des sables mouvants ? **Au secours !** couinai-je, alors que le
sable m'arrivait au nombril.
– Arrête ! Cesse de gigoter ! criait Téa en me
tendant une branche.
Mais je ne pouvais pas m'empêcher de me
débattre !
– Au secouuuuurs ! hurlai-je, au moment où le
sable commençait à s'introduire dans mes oreilles.
C'est alors que Traquenard descendit d'un arbre
au bout d'une liane, dont il me lança l'extrémité.
– Accroche-toi à ça, cousin, si tu tiens à ton pelage !

DEUX TÊTES DE MORT

Une fois de plus, Traquenard m'avait sauvé la vie.

– Par les griffes acérées du chat-garou... depuis combien de jours sommes-nous partis ? Quand je retournerai à Sourisia, mon poil aura blanchi d'épouvante ! murmurai-je.

– À condition qu'on arrive à y retourner, à Sourisia ! remarqua sinistrement Traquenard, et il ajouta, d'un ton lugubre : Nous serons bientôt aux DEUX TÊTES DE MORT !

Nous poursuivîmes notre marche toute la journée du lendemain, en longeant le *fleuve du Pelage pouilleux*. Une fois franchi le *saut du Chat*, nous aperçûmes le *pic du Pirate puant*.

– Nous sommes arrivés à l'emplacement des
DEUX TÊTES DE MORT ! annonça Téa.
Je frissonnai. Qu'est-ce qui nous attendait cette
fois ? Je regardai autour de moi : nous étions au
milieu d'une clairière où poussait un arbre
immense ; à ses branches pendaient de gros
fruits jaunes, semblables à des ananas.
Téa lut à haute voix la légende qui correspondait
aux DEUX TÊTES DE MORT :

CEUX QUI SOUS L'ARBRE DE MIEL
VIENDRONT FAIRE UN PIQUE-NIQUE
VERRONT QUE, TOMBÉS DU CIEL,
SES FRUITS PIQUENT !

Traquenard s'avança.
– Des fruits qui piquent ? Je m'en oc-
cupe, les mulots ! Je vais en dégommer un avec
un caillou, et on verra ce qu'on verra !

STOP !   Pas d'initiative personnelle ! criai-je.

– Du calme, GeroMiNOU ! S'ils piquent, il suffit de ne pas les toucher, non ? *Hé ! Hé ! Hé !*
Puis il ramassa un caillou, visa et toucha le fruit le moins haut.

– Ne m'appelle pas GeroMiN… étais-je en train de dire à mon cousin.

Mais je me tus.

– Au secouuurs !

Une ruche !

Un miel **épais** et
doré gouttait d'un
des « gros
fruits
jaunes ».
Comme répondant
à un appel, de tous
les gâteaux de cire
accrochés aux branches de l'arbre sortirent en bourdonnant des milliers d'essaims d'abeilles.

– Vite ! Jetons-nous dans le fleuve !
cria ma sœur.

Nous courûmes **désespérément**, tandis que le bourdonnement des abeilles furieuses nous poursuivait.

Nous plongeâmes la tête la première dans les eaux du fleuve, qui nous emportèrent. Quand nous émergeâmes, nous poussâmes un soupir de soulagement : les abeilles avaient perdu notre trace.

Téa déroula la carte et calcula notre position.

– Ainsi, voici la *plaine des Vibrisses*. À notre gauche se dresse le *pic du Pirate puant*, et en face le *pic de la Perle*. Nous devons passer entre ces deux **montagnes** ! C'est juste là que sont marqués les TROIS TÊTES DE MORT !

TROIS TÊTES
DE MORT

Serpentant entre de hautes parois rocheuses, le sentier était de plus en plus étroit. À un endroit, le sol était pavé : sur chaque dalle était gravée une lettre. Téa lut à haute voix les phrases de sa carte :

SI TU VEUX LE TRAQUENARD ÉVITER,
SUR LES BONNES PIERRES IL FAUT SAUTER,
ET TE CREUSER LA BINETTE
POUR RÉSOUDRE LA DEVINETTE :
IL EST SUPERBE ET AFFINÉ,
PARFOIS MÊME IL EST TROUÉ,
JAUNE OU BLANC,
CLAIR OU OBSCUR,
D'UNE SOURIS IL FAIT UN ÉPICURE !

Mon cousin ricana :

Hé !
Hé !
Hé !

– Traquenard ? Quel traquenard ? On parle de moi ! *Hé hé hé*, je savais bien que le trésor n'attendait que moi, le célèbre Traquenard !

Je lus et relus plusieurs fois la devinette.

Mon cousin s'impatientait.

– Alors, Gerry, qu'est-ce que ça veut dire ? Tu es la **grosse tête** de la famille, allez, creuse-toi un peu les meringues, enfin, non, les méninges…

Je soupirai :

– Sois assez aimable pour ne pas m'appeler **Gerry**. Mon nom est *Geronimo* !

Cependant, je réfléchissais. Troué, blanc ou jaune ? Superbe ? Affin… Affiné ?

– C'est le fromage ! m'écriai-je, exultant. Tu dois sauter sur les lettres du mot **FROMAGE** !

Traquenard sauta sur la première pierre.

– Facile ! Fastoche, même ! J'allais le dire. Bon, j'y vais ? J'y vais !

Traquenard sauta sur la première pierre...

Nous retenions notre souffle pendant que Traquenard sautait sur la première pierre, où était gravée la lettre **F**, puis **R**, **O**, **M**, **A**... **J** !

– Attentioooon ! criâmes-nous en chœur.

L'orthographe n'a jamais été son fort : il n'y a pas de **J** dans **FROMAGE** !

Mon cousin avait à peine posé la patte sur la mauvaise pierre qu'elle *s'enfonçait* dans le sol et qu'il disparaissait avec elle.

Je regardai dans le trou : il était très *profond !*
Une vapeur humide et putride
montait de la fosse.

On devinait quelque chose,
tout au fond : des pieux de bois
très pointus et des ossements
qui blanchissaient !

PAUVRE TRAQUENARD !

– Pauvre tonton Traquenard ! sanglotait Benjamin.

– Pauvre cousin ! Et nous ne pourrons même pas aller pleurer sur sa tombe ! Nous ne pourrons même pas aller à son enterrement ! murmurait Téa en écrasant une larme.

– Il était si généreux ! Tu te souviens, tonton Geronimo, quand il t'a sauvé de la noyade ? pleurait Ben.

Moi aussi, j'étais bouleversé.

– Comment pourrais-je l'oublier ? Traquenard ne m'a pas seulement sauvé la vie une fois : il me l'a sauvée deux fois ! La première en pleine mer, la seconde dans les sables mouvants. Il était si courageux !

Téa dit en hésitant :

– Pourtant, il faut reconnaître que, de temps à autre, il était un peu *casse-pattes*.

Benjamin ajouta :

– Eh oui, le pauvre tonton Traquenard était *agaçant* quand il s'y mettait !

Je conclus :

– Des fois, il était vraiment *insupportable*.

À cet instant, on entendit une voix qui venait de l'au-delà :

– **CASSE-PATTES ? AGAÇANT ? INSUPPORTABLE ?**

Nous nous approchâmes du trou. Traquenard était accroché par le pantalon à un buisson épineux, au bord de l'abîme.

– Traquenard, tiens bon, **on arrive** !

En un instant, nous le remontâmes.

Traquenard était un peu pâle, mais d'une humeur égale.

– Je vous ai entendu quand vous disiez que

j'étais casse-pattes, agaçant, insupportable, mais vous avez dit des choses gentilles aussi ! Surtout toi, **GerONiMOU**. Ah, **GerONiMOU**, je te couvrirai de bisous ! *Hé hé hé !* chantonna-t-il pour faire le malin.

– Ne m'appelle pas Geronimou, je te prie, mon nom est **Geronimo**, *Geronimo Stilton* !

Geronimou je te couvrirai de bisous

DES DOUBLONS D'OR ?

Nous poursuivîmes notre marche jusqu'au point **X**.

– Dis-donc, cousin, toi qui t'y connais question culture, en plus de l'*œil d'émeraude*, on va trouver des pièces d'argent, des pièces d'**or** ou autre chose ? bredouilla Traquenard, surexcité.

– Peut-être y aura-t-il des pièces d'époque : des **doublons** à l'effigie du prince félin Miaou Griffe de Fer, dit l'Attrape-souris, répondis-je.

– Des doublons, des doublons, des doublons d'or : j'adore la sonorité de ce mot ! rêvait Traquenard, les yeux ouverts.

Pendant ce temps, Téa étudiait la carte.

– Bon, nous sommes arrivés, l'*œil d'émeraude* doit se trouver par **ici** !

Traquenard, impatient, nous devança au pas de course.

– Une *émeraude*, mais quelle *émeraude* ? Ici, il n'y a que de l'eau ! Que d'eau ! Que d'eau ! s'écria-t-il, déçu.

À l'endroit exact où nous aurions dû creuser s'étendait un lac très profond.

– **ASTROLAMPE** ? **STRANGULATION** ? **LOCOMO-RYTHME** ? serinait Traquenard, furieux.

Pourtant, le point **X** se trouve bien ici ! répétait Téa incrédule.

– Si c'est le bon endroit, cela veut dire que c'est la mauvaise île. Tout ça, c'est ta faute ! Grrrrrrrrr ! hurla mon cousin, en se mettant à courir derrière Téa. Si je t'attrape !

Je soupirai, en me prenant la tête entre les pattes. Benjamin s'assit à côté de moi, découragé.

À cet instant, j'entendis un frou-frou du côté de la forêt.

– Chuuuuuut ! Ne bougez plus ! chuchotai-je. Il y a quelque chose dans notre dos !

Nous avons tous tendu les oreilles.

– Quelque chose… ou quelqu'un ! murmura sinistrement Traquenard.

Puis il énuméra en comptant sur ses doigts :

– Qui passe le premier ? Ben est trop PETIT. On élimine Téa, parce que c'est une FILLE. Moi, non, parce qu'il faut bien que quelqu'un reste avec eux. Donc, c'est toi qui t'y colles, Geronimo ! conclut-il en me poussant vers les buissons dont provenaient les bruits. bruits bruits bruits

Téa, vexée, dégaina son coutelas et hurla, furibonde, en s'élançant :

– **VOUS ALLEZ VOIR CE QUE VOUS ALLEZ VOIR** !

Elle courut jusqu'à l'endroit d'où sortaient les bruits et écarta les branchages en criant :

– Montre-toi, si tu es courageux !

Il y eut un moment de silence qui parut éternel.

Puis, soudain…

– Ah, vous aussi, vous venez du village ?

Devant nous se tenait un groupe de souris en maillots de bain, armées d'appareils photo et de Caméscopes.

– **LE VILLAGE** ? **QUEL VILLAGE** ?

demandâmes-nous en chœur.

– Mais oui, vous aussi, vous venez du village **RATATOUR** ?

ZAC !
ZAC !

Je me pinçai pour y croire. Était-ce un rêve ? Un cauchemar ? Hélas, **NON** !

Mes compagnons et moi, nous nous regardâmes en silence. Traquenard fut le premier à retrouver ses esprits, et il demanda, d'une voix RAUQUE :

– **RATATOUR** ? Vous avez dit **RATATOUR** ? Vous voulez dire que ce n'est **PAS** une île **DÉSERTE** ?

Le guide nous dévisagea, interloqué.

– Déserte ? Vous n'avez pas vu tous les rongeurs sur la plage ? En ce moment, sur l'île, c'est la haute saison.

Traquenard se tourna vers Téa.

– Déjà, tu m'as emmené sur la **MAUVAISE ÎLE**.

Mais en plus, tu m'y as emmené en haute saison !
Pendant ce temps, les touristes, ébahis, regardaient notre pelage HirSUte, nos vêtements en LaMbeaUX, le coutelas à la ceinture de Téa, la *carte du trésor* dans les pattes de Ben.

Que pouvaient-ils bien penser de nous ?

C'est alors qu'un rongeur à l'air timide s'exclama en regardant Téa :

– Euh, mademoiselle, vous avez participé à un stage de SURVIE, n'est-ce pas ?

Pendant un moment, Téa le regarda, les yeux tout écarquillés, mais elle se reprit très vite et murmura, en se pavanant :

Un stage de survie ? À votre avis, j'ai besoin de ça ? Regardez bien ce couteau. Avec ça, je

peux hacher menu une
queue de souris en un éclair.
Comme ça : Zac ! Zac !
Et, d'un coup sec, elle
DÉCAPITA un bambou.
L'autre frissonna, fasciné.
– Euh, puis-je vous accompagner au **village** et vous
inviter à dîner ? Je connais un petit
restaurant très romantique sur la
plage !

zac !

– On verra, mon cher. Mais dites-moi,
que faites-vous de beau dans la vie ?
chicota Téa, flattée.

Je secouai la tête. Je me dirigeai
vers le **village** avec Benjamin,
pendant que Traquenard, qui, pour
une fois, restait à court de mots,
répétait simplement, en fixant le vide :
– Le trésor, le trésor !

ATTACHEZ
VOS CEINTURES !

Après avoir entendu le récit de nos incroyables aventures (nous avions nous-mêmes du mal à y croire), le directeur du village **RATATOUR** nous trouva quatre places en première classe sur le premier vol direct pour Sourisia. Quatre, ou plutôt trois, car Téa avait décidé de s'attarder quelques jours sur l'île.

– C'est un vrai *trésooor* ! glapissait-elle, enthousiasmée par son nouveau chevalier servant. Je n'avais encore jamais rencontré de souris si gentille. Il m'adore, il est si romantique ! *Geronimo,* tu ne veux pas rester, toi aussi ?

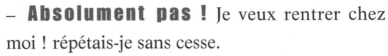
– **Absolument pas !** Je veux rentrer chez moi ! répétais-je sans cesse.

Le moment du départ arriva.

– Embarquement immédiat ! braillait le haut-parleur de l'aéroport.

Nous montâmes à bord.

– Nous prions les passagers rongeurs de bien vouloir attacher leur ceinture de sécurité !

Une gracieuse hôtesse au pelage **noisette** remontait le couloir, offrant aux passagers de première classe des tranches de GRUYÈRE parfumé.

– **GÉNIALES**, ces vacances ! Ça vous a plu ? demanda la souris assise à côté de moi, avec un clin d'œil.

– **MAGNIFIQUE**. En plus, tout était gratis ! marmonnai-je entre mes dents.

Traquenard avait recouvré sa bONNe HUMeUr et faisait la cour à l'hôtesse, en lui racontant que, lui, la mer, c'était son élément !

qu'il rentrait d'un long **VOYAGE** plein de péri-
péties, au cours duquel...

Je n'écoutai pas les détails, parce que je regar-
dais le paysage à travers le hublot. Pour la première fois, je découvrais l'île d'en haut. Toute
cette végétation ! Et comme au bord des côtes
l'eau était limpide !

Au centre de l'ÎLE, un *lac*
aux eaux vert émeraude.

Mais oui, c'était le lac qui
correspondait au point **X** !

Comme c'était bizarre : vu
d'en haut, l'île avait la forme
d'un œil, un œil **vert éme-**
raude...

– Non, un œil ?

Émeraude ?

Scouiiiiiiiiit !

m'écriai-je, très ému.

Benjamin, qui s'était endormi contre moi, se réveilla en sursaut.

– **REGARDEZ** ! **REGARDEZ** ! hurlai-je.

Tous les passagers se tournèrent vers moi.

– Alors, c'était ça, l'*œil d'émeraude* ! C'était ça, le trésor indiqué sur la *carte* !

Mon cousin écrasa son museau contre le hublot et soupira :

– Cousin, pour moi, un trésor, c'est quelque chose qu'on peut dépenser. Dans un trésor comme ça, au maximum, je peux laver mes chaussettes !

Je haussai les épaules.

Le lac aux reflets verts rapetissait au fur et à mesure que l'avion prenait de l'altitude.

Benjamin me serra la patte, puis me donna un bisou, pour me consoler.

– Tonton, l'*œil d'émeraude* est un trésor précieux, si grand que personne ne peut l'emporter… Pas même nous !

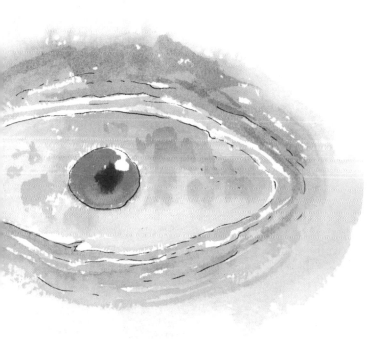

HYPER-MÉGA-RÉFRIGÉRATEUR

QUEL PLAISIR DE RENTRER CHEZ SOI ! Les draps **FRAIS**
qui sentent la lessive, une douche bien **CHAUDE** tous
les matins, mon **HYPER-MÉGA**-réfrigérateur
bourré de jambons, de fromages et de saucissons…
Aujourd'hui, j'ai vu Traquenard.

– Toi qui as la plume facile, pourquoi ne fais-tu
pas un petit roman sur l'histoire du trésor ?

– Tu plaisantes ? Je suis une souris très occupée,
moi ! Je dirige une maison d'édition ! Il n'en est
pas question, n'en parlons plus, impensable,
impossible, inconcevable, sors-toi ça de la tête !
Mais, le soir, j'ai feuilleté notre journal de
voyage. Que d'émotions, que d'aventures ! Peut-
être que, pour une fois, Traquenard a eu une
bonne **idée**…

… mon hyper-méga-réfrigérateur
bourré de jambons et de fromages…

TENNIS
RAT CLUB

Six mois se sont écoulés depuis notre retour.
J'ai suivi le conseil de Traquenard : j'ai écrit le
livre, je l'ai publié… et, surtout, je l'ai vendu, et
même, je l'ai **SUPER BIEN VENDU** *!*

Il est déjà sur la liste des **best-sellers**, à Sourisia !

– Pour un trésor, ça, c'est un trésor ! s'est écrié mon cousin en agitant le chèque de ses droits d'auteur.

Pour fêter notre succès, j'ai invité Robiolina, une amie très, **trèèèès** charmante, au Tennis Rat Club.

– J'ai lu ton livre d'une traite, je ne savais pas que tu étais aussi courageux ! m'a-t-elle murmuré à l'oreille.

ALLÔ, GERRY ?

Dring, drilnng, drilinnng !

Ce matin, Téa m'a téléphoné aux aurores.

– **Gerry**, tu es assis ? J'ai une nouvelle **IN-CRO-YA-BLE** à t'apprendre ! Devine ce que j'ai découvert, aujourd'hui .

– Comment veux-tu que je devine ?

– Un nouveau document. Tu vois ce que je veux dire ?

– Non, de quoi parles-tu ? Quel est ce document ?

– Mais tu sais bien, comme la dernière fois ! Tu te souviens des nouilles à la sauce piquante ? Allez, ne m'oblige pas à en dire plus ! insista-t-elle d'un ton mystérieux.

– **Quoi ? Des nouilles ?** De la sauce piquante ?

Est-ce que ça ne serait pas... ah non, pas ce

coup-ci, jamais de la vie ! Tu as un fiancé, maintenant, non ? Eh bien, tu n'as qu'à lui demander de t'accompagner.

– Qui ? L'autre ? C'est de l'histoire ancienne, mon cher ! Parlons plutôt de choses sérieuses. Tu ne veux tout de même pas me laisser partir seule ! Tu es mon frère aîné. Que fais-tu de ton sens du devoir ? Ça pourrait être un voyage très DAN-GE-REUX ! Allô, *Gerry*, tu es toujours là ? *Gerry, Gerrrrrry, Gerrrrrrrrrry* ! couinait Téa.

Ne m'appelle pas Gerry, aurai-je eu envie de dire, mon nom est Geronimo, *Geronimo Stilton* ! Mais je n'en avais pas la force.

Je reposai le téléphone sur mon bureau.

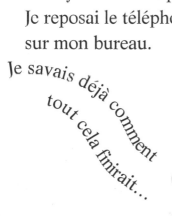

Je savais déjà comment tout cela finirait…

Table des matières

Geronimo Stilton

DANS LA MÊME COLLECTION

L'Écho du rongeur
1. Entrée
2. Imprimerie (où l'on imprime les livres et le journal)
3. Administration
4. Rédaction (où travaillent les rédacteurs, les maquettistes et les illustrateurs)
5. Bureau de Geronimo Stilton
6. Piste d'atterrissage pour hélicoptère

Sourisia, la ville des Souris

1. Zone industrielle de Sourisia
2. Usine de fromages
3. Aéroport
4. Télévision et radio
5. Marché aux fromages
6. Marché aux poissons
7. Hôtel de ville
8. Château de Snobinailles
9. Sept collines de Sourisia
10. Gare
11. Centre commercial
12. Cinéma
13. Gymnase
14. Salle de concert
15. Place de la Pierre-qui-Chante
16. Théâtre Tortillon
17. Grand Hôtel
18. Hôpital
19. Jardin botanique
20. Bazar des Puces qui boitent
21. Parking
22. Musée d'art moderne
23. Université et bibliothèque
24. La Gazette du rat
25. L'Écho du rongeur
26. Maison de Traquenard
27. Quartier de la mode
28. Restaurant du Fromage d'Or
29. Centre pour la Protection de la mer et de l'environnement
30. Capitainerie du port
31. Stade
32. Terrain de golf
33. Piscine
34. Tennis
35. Parc d'attractions
36. Maison de Geronimo Stilton
37. Quartier des antiquaires
38. Librairie
39. Chantiers navals
40. Maison de Téa
41. Port
42. Phare
43. Statue de la Liberté

Île des Souris

1. Grand Lac de glace
2. Pic de la Fourrure gelée
3. Pic du Tienvoiladéglaçons
4. Pic du Chteracontpacequilfaifroid
5. Sourikistan
6. Transourisie
7. Pic du Vampire
8. Volcan Souricifer
9. Lac de Soufre
10. Col du Chat Las
11. Pic du Putois
12. Forêt-Obscure
13. Vallée des Vampires vaniteux
14. Pic du Frisson
15. Col de la Ligne d'Ombre
16. Castel Radin
17. Parc national pour la défense de la nature
18. Las Ratayas Marinas
19. Forêt des Fossiles
20. Lac Lac
21. Lac Lac Lac
22. Lac Laclaclac
23. Roc Beaufort
24. Château de Moustimiaou
25. Vallée des Séquoias géants
26. Fontaine de Fondue
27. Marais sulfureux
28. Geyser
29. Vallée des Rats
30. Vallée Radégoûtante
31. Marais des Moustiques
32. Castel Comté
33. Désert du Souhara
34. Oasis du Chameau crachoteur
35. Pointe Cabochon
36. Jungle-Noire
37. Rio Mosquito

Au revoir, chers amis rongeurs, et à bientôt
pour de nouvelles aventures.
Des aventures au poil, parole de Stilton, de…

Geronimo Stilton